ZAHRA BR

ILUSTRADO POR JOSE NIETO

Magia de una Chica Negra

UN LIBRO SOBRE AMARTE A TI MISMA TAL COMO ERES

Magia de una Chica Negra: Un Libro Sobre Amarte a Ti Misma Tal Como Eres

Our books may be purchased in bulk for promotional, educational, or business use. The mission of this Book is to get this book in the hand of every little girl around the world, so each little girl can realize the true magic within them.

Arhaz Nyleak Books
1707 S Perimeter Rd, Hngr 33B, Suite 38797,
Fort Lauderdale, FL 33309
permissionscoordinator@arhaznylaekbooks.com
www.arhaznyleakbooks.com

Illustrations by Jose Nieto
Edited by Bobbie Hinman
Cover & Layout by Praise Saflor
Project Managed by April Cox

Publisher's Cataloging-in-Publication data

Names: Bryan, Zahra Kaelyn, author. | Nieto, Jose, illustrator.
Title: Magia de una chica negra: un libro sobre amarte a ti misma tal como eres / by : Zahra Kaelyn Bryan ; illustrated by Jose Nieto.
Description: Fort Lauderdale, FL: Arhaz Nylaek Books, 2020. | Summary: When children at school are unkind, Kaelyn responds by becoming confident in who she is.
Identifiers: LCCN: 2020923946 | ISBN: 978-1-7361445-4-1 (Hardcover) | 978-1-7361445-3-4 (pbk.) | 978-1-7361445-5-8 (ebook)
Subjects: LCSH African American girls--Juvenile fiction. | African Americans--Juvenile fiction. | School--Juvenile fiction. | Self-esteem--Juvenile fiction. | Self-confidence--Juvenile fiction. | Spanish language materials. | CYAC African American girls--Fiction. | African Americans--Fiction. | School--Fiction. | Self-esteem--Fiction. | Self-confidence--Fiction. | BISAC JUVENILE FICTION / Diversity & Multicultural | JUVENILE FICTION / School & Education
Classification: LCC PZ7.1.B79 Mag 2020 | DDC [E]--dc23

Printed in the United States of America.

A todas las niñas negras, quiero que sepan que son hermosas, fuertes, inteligentes, valiosas, ¡y simplemente MÁGICAS!

Mi esperanza es que mantengan este libro cerca de ustedes para que les recuerde lo valiosas y únicas que son, especialmente en esos momentos en los que tienen dudas. Esta es mi historia.

xo,
Zahra

¡Era el primer día de clases y Kaelyn estaba muy feliz y emocionada! ¡Iba a entrar a segundo grado! Finalmente se sintió como la niña grande que su madre siempre decía que era.

Después de todo, qué más podría hacerla sentir como una niña grande, que estar en la escuela primaria - El gran edificio azul frente a la escuela infantil que albergaba el jardín de infantes y el primer grado.

Se sintió tan confiada al entrar a su salón de clases con su brillante mochila rosa con ruedas y sus notas con pegatinas en el bolsillo.

Kaelyn se sentó en el escritorio que tenía una etiqueta marcada con su nombre "Kaelyn". Estaba llena de entusiasmo por lo que traería este año escolar.
IYANDRA
JOEY
KAELYN
AH
LARA

A su lado, estaba sentado un niño llamado Paulo.

Paulo miró a Kaelyn y dijo:

"... y ¿no te ves como un bebé?"

Luego se volvió hacia Christopher y le dijo:

"Mira con quién estamos sentados: Miss Notas Perfectas, Miss Flacuchenta. ¿Dónde está la belleza en esta clase? "

Ambos chicos se rieron.

¡Kaelyn estaba mortificada! Ella comenzó a llorar y salió corriendo al pasillo para que nadie viera sus lágrimas. No podía esperar a que terminara el día escolar. Su primer día de escuela resultó ser nada de lo que se había imaginado.

Tan pronto como sonó la campana de cierre, Kaelyn vio que el Jeep Compass blanco de su madre se acercaba al carril especial. Rápidamente salió corriendo, se subió al auto e inmediatamente se descompuso. "Mamá, ¿soy valiosa?" Sollozó. Luego le contó a su mamá todo lo que Paulo le había dicho.

Su mamá le respondió:

"Sí. Eres valiosa, has sido creada divinamente y eres mágica ".

Pero no importa lo que dijera su mamá, Kaelyn no se sentía valiosa ni divina, y definitivamente no se sentía mágica.

Se sentía inútil, sin esperanzas y no lo suficientemente buena. Sintió como si hubiera 100 gusanos arrastrándose por su estómago.

No importó lo que dijo su mamá porque eso no detuvo la horrible sensación que estaba experimentando Kaelyn. Las palabras de su mamá simplemente no pudieron cambiarlo.

Kaelyn se alegró de que fuera fin de semana. Ella solo quería estar sola.

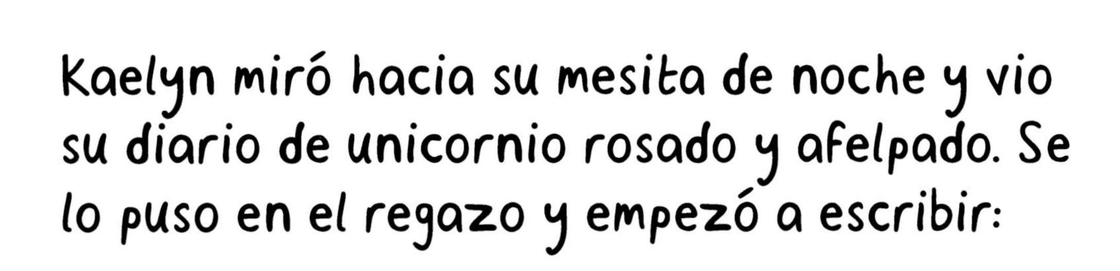

Kaelyn miró hacia su mesita de noche y vio su diario de unicornio rosado y afelpado. Se lo puso en el regazo y empezó a escribir:

"Querido diario, ¿es verdad?
¿Es cierto lo que dijo Paulo?
¿Hay algo bueno en mí?"

Kaelyn se sintió desesperanzada. Luego ella escribió:

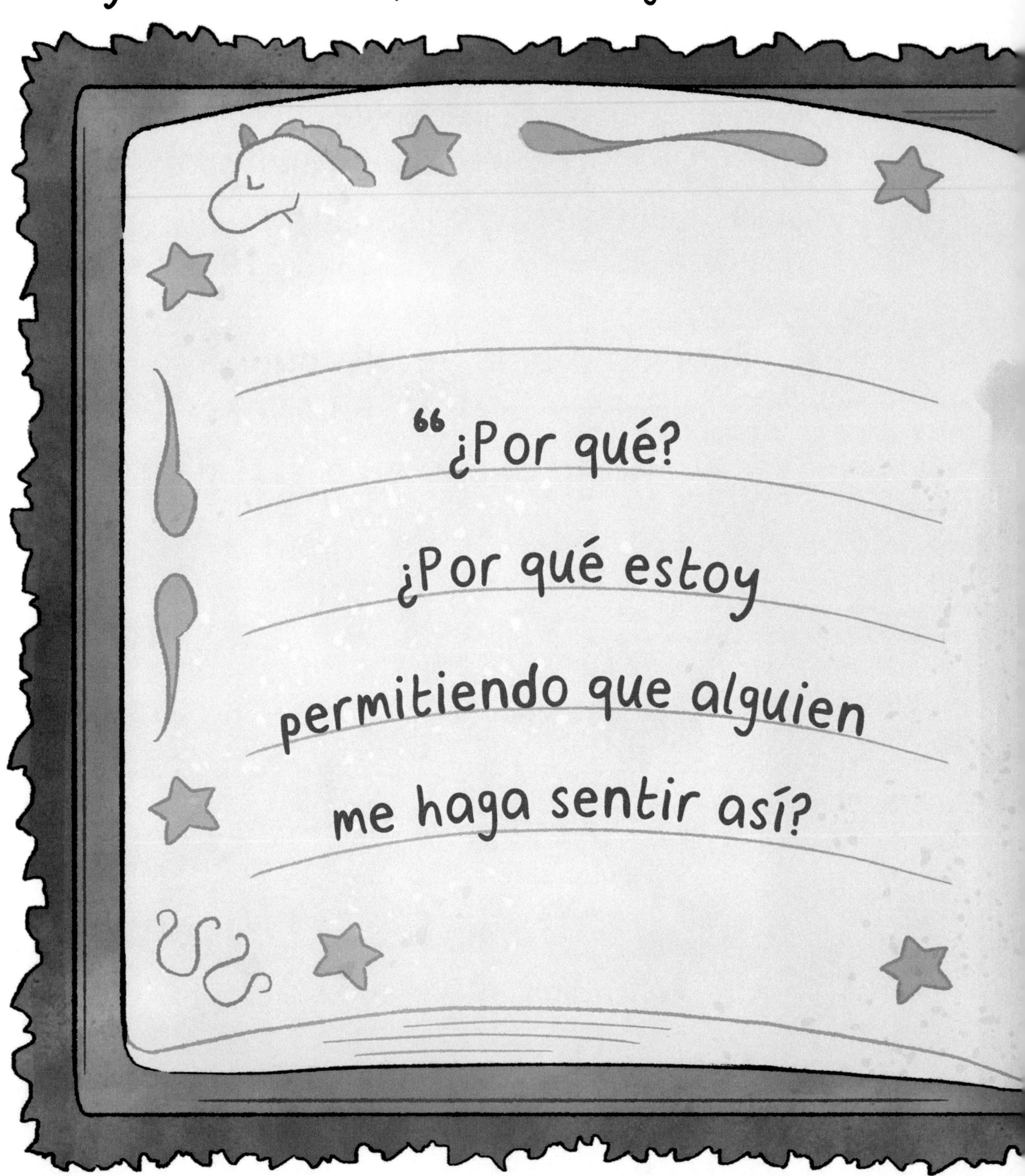

¡Soy mejor
que
eso!

El lunes por la mañana, mientras Kaelyn se preparaba para la escuela, se paró frente a su espejo mientras se cepillaba el cabello rizado y ensortijado. De repente, sacó su diario y escribió:

"Mi cabello es rizado, ensortijado y suave, y mi piel es de un marrón chocolate. Y mis ojos son tan redondos y llenos que mi papá dice que parecen lunas llenas."

El martes por la mañana escribió:

"El año pasado, mi maestra le dijo a mi mamá que soy una muy buena estudiante. Trabajo duro para resolver mis problemas de matemáticas y no me detengo hasta que los hago bien."

El miércoles por la mañana, con una gran sonrisa en su rostro, Kaelyn escribió:

"Hace unas semanas, en la fiesta de cumpleaños de mi primo Liam, accidentalmente se cayó al fondo de la piscina y yo salté y lo saqué. ¡Mi abuela dijo que soy una heroína!"

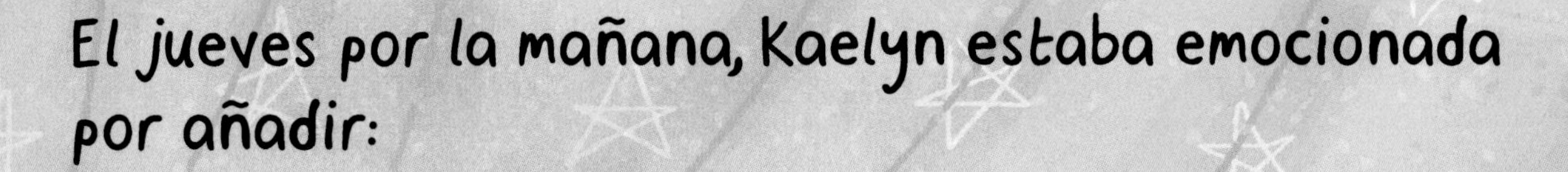

El jueves por la mañana, Kaelyn estaba emocionada por añadir:

"Mamá me acaba de dar un telescopio por haber hecho mis tareas todos los días durante un mes entero, sin que nadie me lo pidiera."

El viernes por la mañana, ella escribió con ansias:

"¡Siempre me aseguro de escuchar a mi mejor amiga Emma, incluso cuando dice las cosas más locas! Jajaja No siempre estoy de acuerdo con ella, pero la escucho, así que sé que..."

Kaelyn sabía que había sido una buena semana para ella. Cuando entró en el salón de clases, Paulo se le acercó y le preguntó:

"¿Por qué sonríes? ¿Por qué te ves tan feliz?"

Kaelyn respondió:

"Paulo, estoy sonriendo porque ...

Soy HERMOSA.
Soy PERSISTENTE.
Soy VALIENTE.
Soy AMABLE.
Soy RESPETUOSA.
Soy VALIOSA.
Soy MÁGICA ".

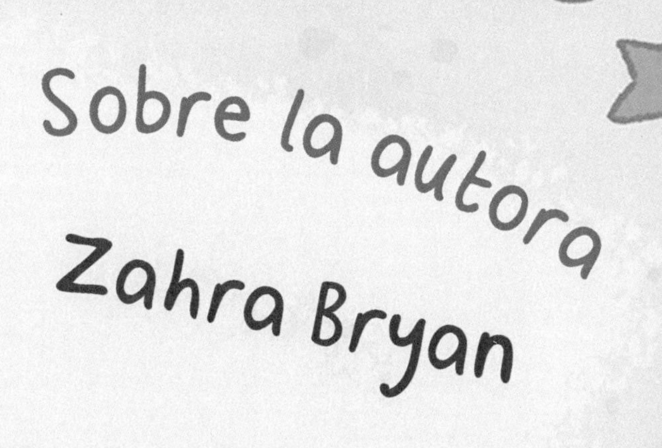

Zahra es una niña negra mágica. Ella quería animar a otras niñas negras mágicas de todo el mundo a ver la belleza dentro de ellas mismas y a compartir esa magia con el mundo. Su amor por la lectura y la escritura la animó a explorar los pasillos de las bibliotecas, que a menudo estaban llenas de libros con personajes que no se parecían a ella. No ver a niñas pequeñas como ella retratadas en los libros para niños, a menudo contribuía a su lucha por celebrar su singularidad y belleza. Como resultado, ¡Zahra ha hecho que su misión en la vida sea ayudar a las chicas negras de todo el mundo, en su viaje por revelar su belleza mágica y celebrar su singularidad!

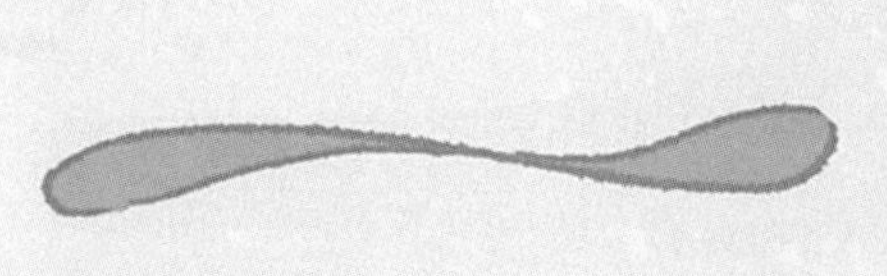

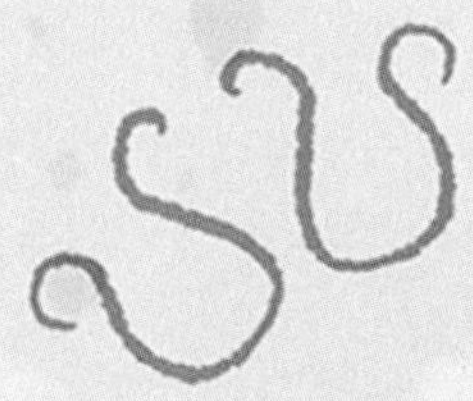

Visita mi sitio web
www.arhaznyleakbooks.com

Made in the USA
Coppell, TX
16 February 2023